To
Chris...a Peter

m Hnno

あいうえおの本

安野光雅

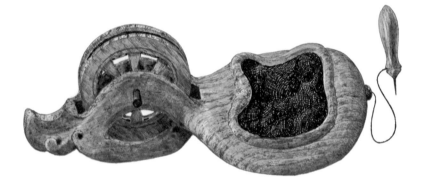

福音館書店

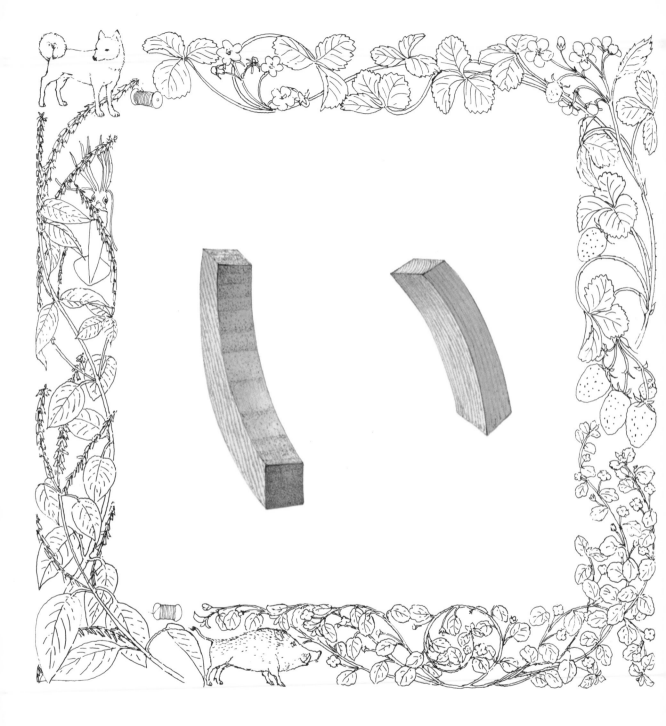

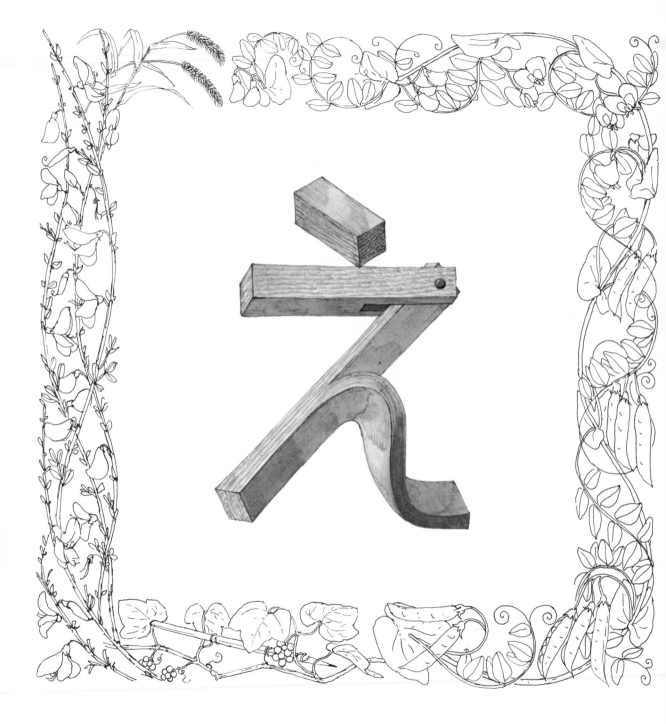

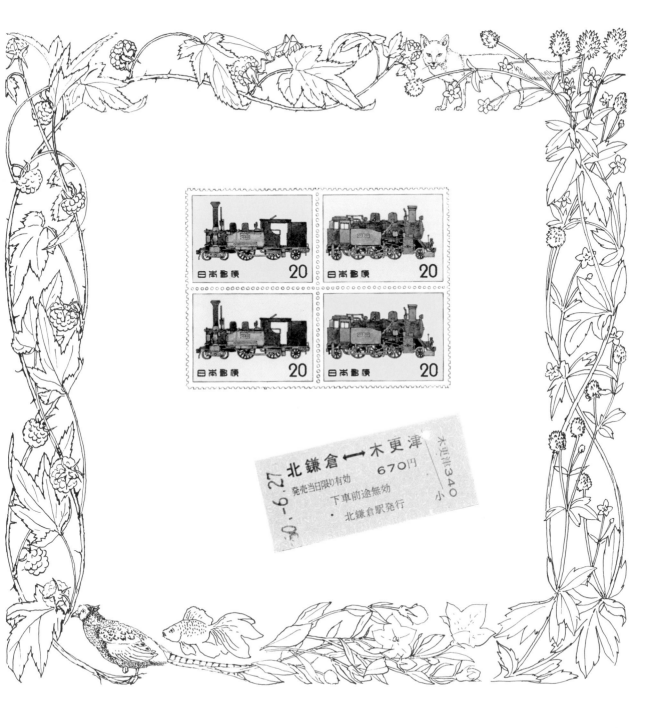

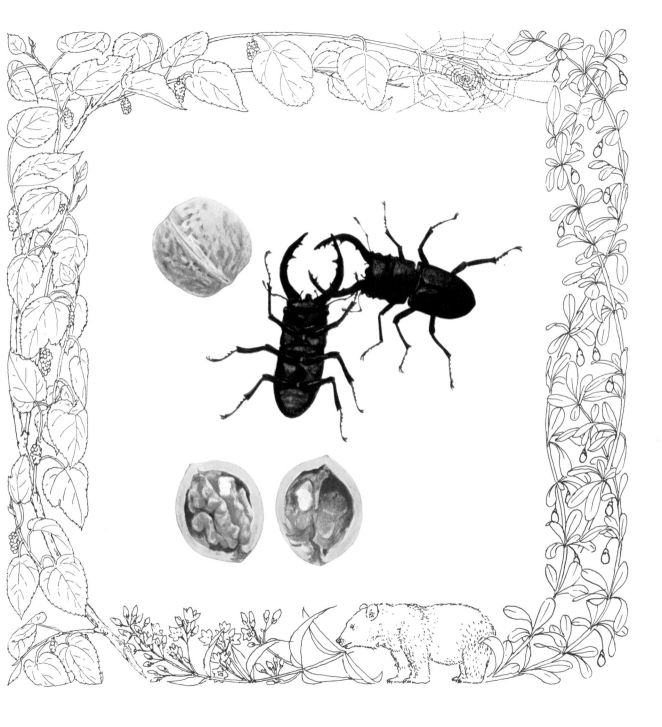

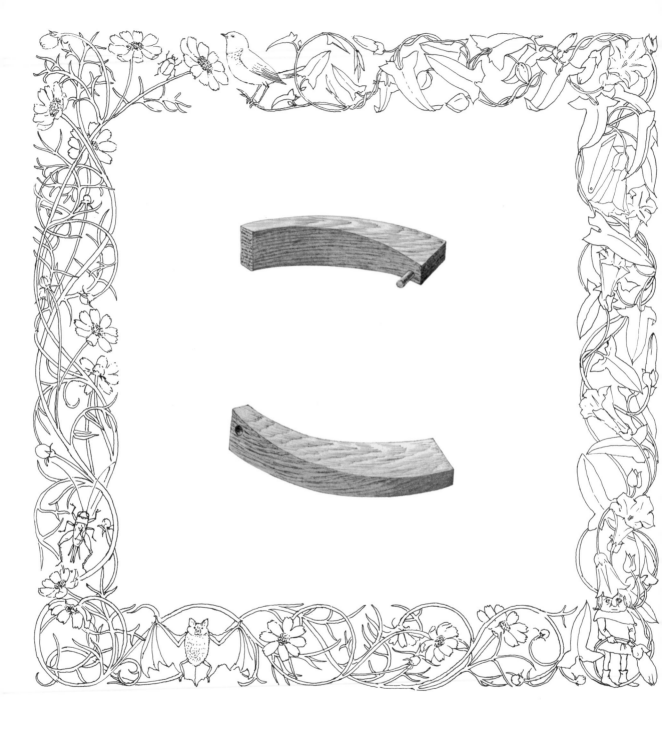

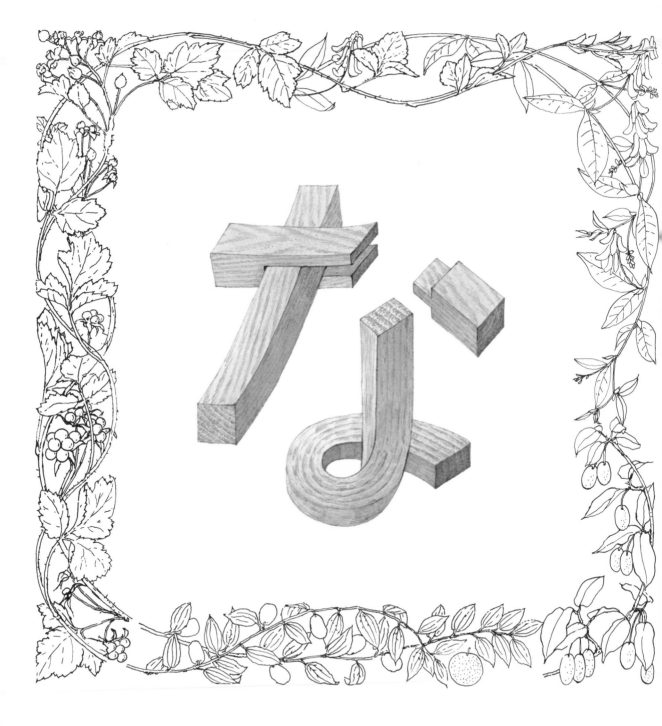

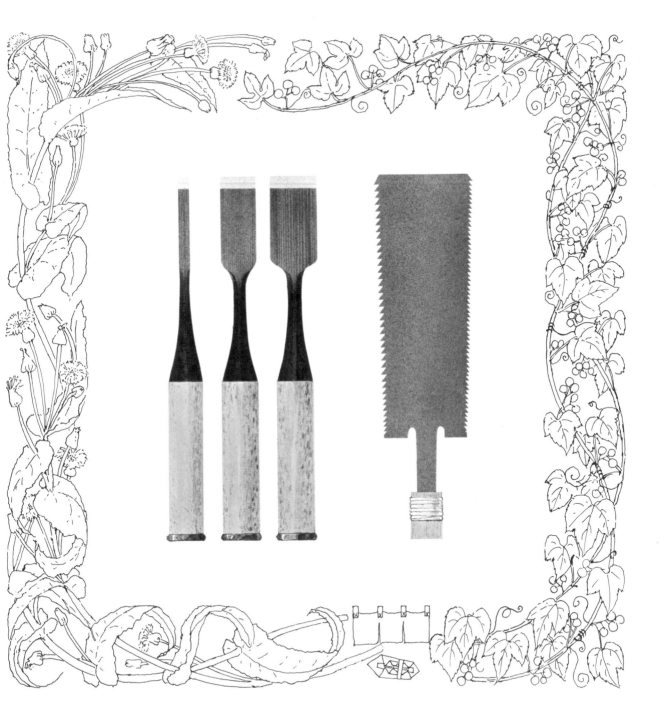

このほんに　でてくるものの　てびき

あ　あんぱん　あり

あかざ　あさがお　あざみ　あしか　あひる
あゆ　ありくい　あわび

い　いえ　いど

いか　いちご　いとまき　いぬ　いぬのふぐり
いのこずち　いのしし

う　うなぎ　うめぼし

うき　うきぶくろ　うぐいす　うさぎ　うちわ
うつぎ　うみねこ　うめもどき

え　えま

えにしだ　えのころぐさ　えびづる　えんどう
えんぴつ

お　おかめのめん
　　おにのめん

おおばこ　おけ　おこぜ　おしどり
おたまじゃくし　おてだま　おどりこそう
おみなえし　おりづる

か　かとりせんこう　か
　　かがみ

かい　かき　かぎ　かたくり　かたつむり
かたばみ　かに　かぶとむし　かまきり
かめむし　かめれおん　かも　からすうり
からすのえんどう

き　きって（きかんしゃ）
　　きっぷ（きたかまくら〜
　　　　　ききらず）

きいちご　ききょう　きじ　きつね
きつねのぼたん　きりぎりす　きんぎょ

く　くるみ　くわがた

くこ　くされだま　くま　くものす　くわ

け　けんだま

けいとう　けし　けむし　けら

こ	こおりいちご	こうもり　こおろぎ　こがたな　こがねむし
	こんぺいとう	こすもす　こびと　こひるがお　こまどり
さ	さる　さんりんしゃ	さいころ　さぎ　さぎそう　さくらそう
		さくらんぼ　さじ　さら　さるとりいばら
		さんかく　さんしょう
し	しちふくじん	しいたけ　しか　しかく　しくらめん　しらん
		しろつめくさ
す	すべりだい	すいか　すいかずら　すず　すずむし　すずめ
		すずらん　すずり　すみ　すみれ
せ	せんぬき	せり　せんにちこう　せんぶり　せんまいどおし
		せんりょう
そ	そろばん	そば　そばな　そらまめ　そり　そりはししぎ
た	たいやき	たいこ　たけうま　たけとんぼ　たこ
		たつなみそう　たつのおとしご　たび
		たまご　たんぽぽ
ち	ちえのわ	ちがや　ちどめぐさ　ちどり　ちりとり
つ	つみき	つくし　つた　つばめ　つゆくさ　つりふねそう
		つるうめもどき
て	てるてるぼうず	ていかかずら　てん　てんぐたけ　てんつき
	てんとうむし	てんにんぎく
と	とけい	とうがらし　とうもろこし　とかげ　とき
		とくさ　とちかがみ　とまと　ともえそう
		とら　とろろあおい　とんぼ

な	なべ	なつぐみ　なつめ　なわしろいちご
		なんてんはぎ
に	にじ	にしきぎ　にしん　にっけい　にら　にんぎょ
		にんじん　にんにく
ぬ	ぬけがら	ぬすびとはぎ
ね	ねこ　ねずみ	ねこやなぎ　ねじ　ねじばな　ねじまわし
		ねじりあめ　ねずみとり
の	のこぎり　のみ	のげし　のし　のぶどう　のれん
は	はさみ	はぎ　はくちょう　はこべ　はたはた　はち
		はと　はね　ははこぐさ
ひ	ひょうたん	ひいらぎ　ひし　ひばり　ひめじょおん
		ひなぎく　ひなにんぎょう
ふ	ふで	ふうとう　ふうりん　ふえ　ふき　ふきのとう
		ふぐ　ふくじゅそう　ふくろう　ふじ
		ふじばかま
へ	へのへのもへじ	へちま　へび　へびいちご　へら
	へのへのもへの	
ほ	ほどうきょう	ほうき　ほうせんか　ほうちょう　ほおずき
		ほし　ほたる　ほたるぶくろ　ほととぎす
ま	まわりどうろう	まきじゃく　まごのて　まさかり　ます
		まつかさ　まつばぼたん　まつむし　まとい
		まつよいぐさ　まめ　まんとひひ　まんぼう

み	みこし	みかん　みずすまし　みずでっぽう　みつば みつまた　みやこわすれ
む	むしかご　むぎわらとんぼ	むくげ　むささび　むしめがね　むすびめ むらさき　むらさきしきぶ　むらさきつゆくさ
め	めいろ	めがね　めぎ　めひしば
も	もくば	もくせい　もぐら　もくれん　もちのき　もも
や	やきいも	や　やかん　やじろべえ　やすり　やぶがらし やまのいも　やまぶき　やり
ゆ	ゆびにんぎょう（ゆうれい ゆうびんやさん　ゆきだるま）	ゆうがお　ゆきのした　ゆすらうめ　ゆり
よ	ようかん　ようじ	よたか　よめな　よもぎ
ら	らむね	らいおん　らいちょう　らしょうもんかずら らっきょう　らっぱ　らんどせる　らんぷ
り	りんご	りす　りゅうのひげ　りんごかみきり　りんどう
る	るりかけす	るりそう　るりはこべ
れ	れんこん　れんたん	れもん　れんぎょう　れんげ
ろ	ろうそく	ろうばい　ろば
わ	わなげ	わさび　わすれなぐさ　わに　われもこう わりばし

《このてびきにないものも、いくつかみつけられます。》

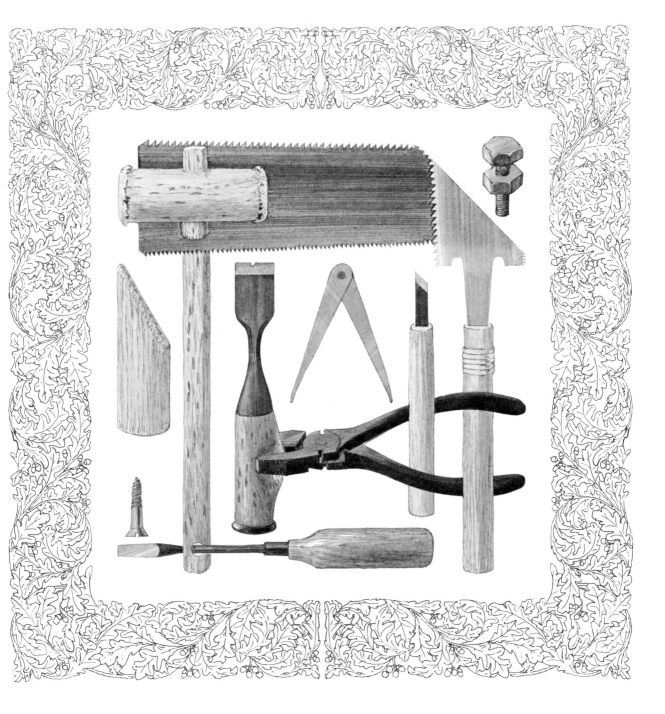

ああ

大きな板を示して、「この木目を見てほしい。これは、自然が百年かかって描いたんだ」といった大工さんがあった。

　自然の木はすべて美しい。水玉が球となり、雪が六角に結晶するように、そこには自然の摂理を秘めた形がある。

　これに比べて人間の作った文明の産物（？）例えば自動車や電気器具などは絶えず姿を変えて完結することがない、それらを仮りに美しいと見ることができたとしても、つかのまのことである。しかし、かんな、はさみ、筆など、長い歴史をくぐり抜けたものの形には、樹木や雪と同じように、理に叶った美しさが備わっている。一口に古い、とかたづけてしまいがちな伝統的な形を、懐古的にではなく、むしろ現代的な意味で見直す必要はないだろうか。

　私は、そのような、ものの本がかきたかった。

＊

　一年前、ＡＢＣの本を作った。位相的な作品の習作の中から、突然ヒントをつかみ、英語圏の人々の協力も得て本ができあがった。この仕事を通して、“辞典的には同じ概念をもつことばでも、文化的背景によって、その画像とするところは大きく違う”ということを実感し、思いがけぬ収穫を得た。

　この経験をいかして、“あいうえおの本”をかこうと思いたった。文字を教えよう、というのではない、日本の伝統的な形と、ことばとを結びつけたかった。

　考えたことは大きかったが、生来のいたずらぐせがでて、やじろべえよりはやきいもに、たいこよりもたいやきをかくことに私の情熱が傾いた。しかし、初期のねがいを大きくはずれてはいまい、と思うのはひとり合点だろうか。

　このあとがきをかき終えると、私は旅に出られる。たぶんデンマークのいなかあたりで、あいうえおの文字が、やはり完成した日本の形であったことを思うだろう。

　たぶんフランスのいなかあたりで、この本にかかわった編集部の人々の協力を思い、出発のまぎわに謝意を表わさなかったことを悔いるだろう。

　　　1975年10月1日

安野光雅

作者紹介

安野光雅（あんのみつまさ）
1926年、島根県津和野町に生まれる。東京在住。
1974年芸術選奨文部大臣新人賞、講談社出版文化賞、小学館絵画賞、ケイト・グリナウェイ賞特別賞（イギリス）、ブルックリン美術館賞、最も美しい50冊の本賞、ニューヨーク・サイエンスアカデミー賞（以上アメリカ）、ＢＩＢゴールデンアップル賞（チェコスロバキア）、ボローニア国際児童書展グラフィック大賞（イタリア）、アンデルセン賞画家賞などを受賞。
著書は「ふしぎなえ」「さかさま」「ふしぎなさーかす」「ＡＢＣの本」「旅の絵本Ⅰ～Ⅳ」「もりのえほん」「天動説の絵本」（以上福音館書店）など多数。

あいうえおの本　　　　　　　　　　　　　　　NDC 811　104p　22×20cm

1976年2月20日　発行　　1999年6月10日　第40刷
　　　　発行所　**福音館書店**　113-8686 東京都文京区本駒込6−6−3
　　　　　　　　　　　電話　販売部 03(3942)1226／編集部 03(3942)6011
　＊製版　新日本セイハン㈱／印刷　精興社／製本　積信堂

●乱丁・落丁本は、ご面倒ですが小社制作課宛ご送付ください。送料小社負担にてお取り替えいたします。

ISBN4−8340−0461−9　　　　　　　　　　　　　　Ⓒ1976 Kuso-kobo